Le Livre de Chasse de Gaston Phébus

Avant-propos de Christian de Longevialle

Introduction et notices de Claude d'Anthenaise

Bibliothèque de l'Image
Maison de la Chasse et de la Nature

Maquette : Jean-Charles Rousseau
Dominique Giroudeau

Tous droits de reproduction et d'adaptation réservés pour tous pays.

© Crédit photographique Bibliothèque nationale de France, Paris, 2002

© Bibliothèque de l'Image, 2002
46 bis, passage Jouffroy – 75009 Paris
Tél. : 01 48 24 54 14 – Fax : 01 45 23 08 83

ISBN 2-914661-03-7

AVANT-PROPOS

La chasse est une activité aussi ancienne que l'humanité elle-même : à l'origine, l'homme chasse pour se défendre et se nourrir, puis, quand la civilisation a modifié ses rapports avec la nature, il perpétue cette pratique à titre de loisir.

C'est donc un thème d'inspiration majeur pour les arts et les lettres, depuis les peintures pariétales jusqu'à la littérature contemporaine qui abonde en récits évoquant la chasse.

En tête de l'ouvrage, les armoiries de Ferdinand d'Autriche, l'un de ses illustres possesseurs.

Dans cette immense production, une place éminente revient au Livre de Chasse de Gaston Phébus. Pour ce grand seigneur, la chasse n'est pas qu'un divertissement, mais une véritable passion qui engage toute sa vie. Maintes fois recopié ou édité à travers les siècles, son ouvrage a stimulé le talent de nombreux illustrateurs. Le fleuron de cette abondante création est conservé à la Bibliothèque nationale. Les compositions peintes en tête de chacune de ses parties séduisent par leur exceptionnelle qualité narrative. Cela leur vaut d'être souvent reproduites, mais rares sont les privilégiés qui ont pu les admirer dans leur intégralité.

Le Livre de Chasse est reconnu comme l'un des chefs-d'œuvre de la littérature cynégétique. Si de multiples livres ont été consacrés à ce thème, celui-ci a connu une fortune particulière auprès de lecteurs attirés par la qualité de son style précis et imagé.

Comme tout chasseur, Phébus aime le gibier qu'il observe et qu'il chasse. Il en connaît les mœurs. Aussi fait-il œuvre de naturaliste, établissant durablement son autorité pour la description de la faune.

Mais, Le Livre de Chasse se veut avant tout un traité cynégétique. Parmi les modes de chasse qu'il décrit, certains sont encore pratiqués de nos jours, exactement comme ils l'étaient au XIVe siècle. Cela met en évidence le caractère traditionnel de cette activité qui en fait une sorte de patrimoine vivant. L'auteur valorise une certaine éthique de la chasse et le respect de l'animal chassé. À ce titre, il exprime des réticences à l'égard des méthodes tendant à capturer le gibier par surprise, sans lui permettre d'utiliser son adresse et sa ruse. En fonction de la culture médiévale, Phébus juge ces procédés peu courtois, rejoignant ceux, parmi les chasseurs de l'époque contemporaine, qui sont attachés à la sportivité de leur pratique.

Enfin, le livre exprime un thème toujours d'actualité, celui du lien intime entre la chasse et la protection de la nature. Les chasseurs n'ont-ils pas été les premiers à alerter l'opinion quant aux conséquences désastreuses sur la faune de certaines méthodes de culture ? Ce souci de l'environnement et des équilibres naturels trouve un écho dans Le Livre de Chasse. Voulant maintenir du gibier en quantité, Phébus y écrit : « Je ne devrais enseigner à prendre les bêtes que par noblesse et gentillesse et pour y prendre agrément. Il y aurait ainsi plus de bêtes, si on ne les tuait pas faussement, et on en trouverait toujours à chasser. ».

Christian de Longevialle
Président de la Fondation de la Maison de la Chasse et de la Nature

4

INTRODUCTION

" *Tout mon temps, me suis délecté de trois choses : les armes, l'amour et la chasse... Du troisième office, je doute d'avoir eu nul maître* ». Ainsi s'exprime Gaston de Foix, dit Phébus (1331-1391), dans le prologue de son *Livre de Chasse*. La vie de ce grand seigneur est assez bien connue grâce aux chroniques de l'époque, notamment celles de l'écrivain Froissart qui consacre un véritable reportage au « gentil comte de Foix ». Le personnage paraît habité de passions contradictoires qui en font un modèle shakespearien du héros chevaleresque.

Phébus a le génie de l'intrigue. À la tête du comté de Foix et d'importantes possessions qui bordent l'Aquitaine, il tire parti de l'opposition entre la couronne de France et celle d'Angleterre pour s'affranchir des tutelles féodales, et fait du Béarn une principauté souveraine.

Pourvu d'un sens aigu de son intérêt - d'autres parleraient de cupidité -, il amasse une grande fortune. Mais, ami des arts et bâtisseur, il l'emploie à l'entretien d'une cour fastueuse.

Le preux comte de Foix a le goût des armes et s'en va guerroyer aux côtés des Chevaliers Teutoniques dans une équipée militaire qui le mène jusqu'aux rivages de la Baltique.

Marqué par le destin, dans un accès de colère, il tue son fils qu'il soupçonne d'avoir voulu l'assassiner pour prendre le pouvoir.

Aux touches contrastées qui dépeignent ce personnage complexe il faut encore ajouter sa foi profonde. Se repentant de son meurtre et pour convaincre Dieu de le vouloir absoudre, il rédige son *Livre des Oraisons*. Car Phébus est également homme de lettres et ses écrits comptent parmi les morceaux d'anthologie de la littérature médiévale.

Ses talents multiples justifient peut-être la haute opinion qu'il a de lui-même. Ne s'applique-t-il pas l'épithète apollinien de « Phébus », s'appropriant de la sorte, et bien avant Louis XIV, la gloire du mythe solaire ?

C'est le 1er mai 1387 que Gaston de Foix commence à dicter Le *Livre de Chasse*. L'ouvrage est terminé en 1389. Il est dédié au duc de Bourgogne, Philippe le Hardi. Si le manuscrit original est probablement perdu, il en existe quarante-quatre autres versions, copiées majoritairement aux XVe et XVIe siècles. La plus remarquable sur le plan artistique est conservée à la Bibliothèque nationale de France.

L'histoire mouvementée de ce dernier manuscrit révèle l'engouement qu'il a suscité auprès de ses différents possesseurs. Les origines en demeurent obscures, mais sa remarquable qualité semble le rattacher à une commande princière. Aurait-il été commandé vers 1407, par le nouveau duc de Bourgogne, Jean sans Peur, désireux de mettre au goût du jour l'œuvre dédiée à son père ?

La présence d'armoiries ajoutées par la suite, en marge d'une des illustrations, atteste qu'il est passé dans les mains de l'un des ancêtres de Diane de Poitiers.

Toutefois, du temps de la favorite d'Henri II, le livre n'appartient plus à sa famille. En effet, l'évêque de Trente, Bernard de Cloos, le récupère à Pavie, après la défaite des Français, en 1525. A-t-il été apporté en campagne et abandonné à proximité du champ de bataille par l'un des malheureux compagnons de François Ier ? Toujours est-il que l'évêque l'offre au frère cadet de Charles Quint, l'archiduc Ferdinand d'Autriche, qui fait ajouter ses armoiries en tête du texte.

Suit une période confuse, jusqu'à ce que le manuscrit revienne en France et soit offert à Louis XIV par le zélé courtisan qu'est le marquis de Vigneau. Déposé à la Bibliothèque royale, il en ressort pour passer à la bibliothèque du Grand Dauphin, prémices d'une série d'allers et retours entre les collections publiques et les collections privées des princes. On retrouve le livre dans la bibliothèque du comte de Toulouse, fils naturel de Louis XIV et Grand Veneur. De là, il passe à la famille d'Orléans. Bien que n'étant pas veneur, Louis-Philippe a une affection particulière pour l'ouvrage et appose son chiffre sur la couverture. Après la révolution de 1848, il est définitivement attribué à la Bibliothèque nationale, malgré les réclamations du duc d'Aumale, fils de Louis-Philippe, qui tente de rentrer en possession du précieux document pour l'inclure dans la fabuleuse bibliothèque qu'il rassemble à Chantilly.

L'indéfectible intérêt que suscite le manuscrit tient en grande partie à son contenu littéraire et à son caractère cynégétique. Ne constitue-t-il pas une mine de renseignements sur l'art de chasser ?

Avec le prologue, le chasseur se voit justifié dans sa pratique. Non seulement c'est un excellent exercice qui contribue à la santé physique et morale, mais il participe également à la santé de l'âme en préservant le pécheur de l'oisiveté, mère de tous les vices.

Vient ensuite une première partie qui traite du gibier. Phébus étant avant tout un chasseur à courre ne s'intéresse pas aux oiseaux, mais répartit les animaux en *bêtes douces* et *bêtes fauves*, selon qu'ils sont herbivores ou carnassiers. Il établit une hiérarchie selon leur noblesse et place le cerf à son sommet. Cette position éminente est conforme à la culture médiévale qui prête à l'animal royal, une vocation symbolique. Phébus décrit exclusivement les bêtes qu'il a pu chasser dans ses domaines. Une exception toutefois : le renne, qu'il a rencontré lors de son expédition militaire sur les rivages de la Baltique, justifie un bref chapitre dans le souci exhaustif d'aborder tout ce qui peut intéresser les chasseurs à courre.

Cette partie de l'ouvrage reste intéressante pour le lecteur contemporain. Si l'on y trouve l'écho de certaines croyances de l'époque, Phébus y fait valoir son don d'observation. Il introduit chaque chapitre par une remarque précisant si l'animal est *commune bête*. Aussi peut-on juger de l'évolution quantitative des différentes espèces. *Le Livre de Chasse* atteste que les hardes de grand gibier de montagne étaient encore très importantes à la fin du Moyen Âge. Certains animaux se sont raréfiés au point d'être menacés de disparition de la forêt française, comme la loutre, le loup ou l'ours. Courante au XIVᵉ siècle, l'espèce indigène du lynx est désormais éteinte et il faut chercher ailleurs les individus nécessaires au repeuplement du massif vosgien.

6

La deuxième partie concerne la nature des chiens et leur dressage.

Différentes races sont successivement abordées : dogues, lévriers, chiens courants, chiens d'arrêt ou chiens d'oysel, - nommés ainsi car ils sont utilisés pour la chasse des oiseaux -, mâtins. À chaque type de chien, l'auteur reconnaît des qualités cynégétiques propres. L'ouvrage apporte ainsi sa contribution à l'histoire de la cynophilie, mais, au gré des tentatives de croisement destinées, notamment, à améliorer les qualités cynégétiques des individus, les races n'ont cessé d'évoluer. Les chiens de meute, vivant en communauté, sont plus sensibles aux épidémies comme la rage, pouvant entraîner la disparition presque complète d'une souche, comme ce sera le cas dans la vénerie royale au XVIIIe siècle. Des chiens courants de Gaston Phébus, on se fait une idée assez imprécise, se contentant de conjecturer qu'ils s'apparentaient à la famille des braques.

Le livre troisième se consacre à l'instruction des veneurs et au déroulement de la chasse à courre.

Dans cette partie qui est la plus intéressante pour les chasseurs, Phébus affirme l'importance et la longueur de l'apprentissage : près de quatorze années employées dans les différents services du chenil et de la vénerie pour acquérir toutes les connaissances nécessaires à cette pratique exigeante. C'est l'occasion d'évoquer tous les alentours de la chasse, depuis les soins qu'il faut prodiguer aux chiens jusqu'à l'art d'aller quêter le gibier, seul ou avec un limier.

Le déroulement de la chasse est très précisément décrit. Comme c'est l'un des premiers textes à le faire, Le *Livre de Chasse* a l'ambition d'un code. À cette fin, Phébus emploie le temps impérieux et réglementaire du futur : « Le chasseur fera... ». Dans la pratique de la chasse aux chiens courants, le poids de la tradition est particulièrement affirmé. Les veneurs d'aujourd'hui, comme ceux du XIXe siècle, ou du Moyen Âge, ont à l'honneur de mettre leurs pas dans les traces de leurs prédécesseurs. Respecter scrupuleusement les procédures établies par l'usage, utiliser un langage conforme à celui de Gaston Phébus, font partie intégrante de l'esthétique de la vénerie qu'on peut considérer comme un patrimoine culturel vivant. Aussi y-a-t-il peu de recommandations données par le *Livre de Chasse* qui ne soient appliquées par les veneurs d'aujourd'hui. Leur pratique est dominée par la *courtoisie* que l'on doit au gibier : l'attaquer et le chasser loyalement, lui permettre d'utiliser toute sa ruse et son adresse, ce qui exclut de le prendre par surprise. Un aspect inattendu de ce devoir d'*honnêteté* réside dans l'art du dépeçage. (Mais, jusqu'à la fin du XVIIIe siècle, apprendre à découper les viandes ne fait-il pas partie de l'instruction des bonnes manières ?). En ce domaine, Phébus ne fait pas œuvre de novateur. En décrivant minutieusement la manière dont on doit dépecer le cerf et le sanglier, il se contente de reprendre à la lettre ce qu'Henri de Ferrières a déjà établi quelques années auparavant dans cette autre Bible des chasseurs qu'est le *Livre du roi Modus*.

La dernière partie traite de la chasse aux pièges ou engins et de la chasse à tir.

Gaston de Foix émet des réserves sur ces pratiques qu'il juge peu courtoises. Il ne les décrit pas moins en détail.

Références
bibliographiques

Pierre-Louis Duchartre,
*Dictionnaire analogique
de la chasse historique
et contemporain*,
Paris, Ed. du Chêne, 1973

Gaston Phoebus,
Le Livre de la chasse,
Paris, Club du livre, 1976

Pierre Tucoo-Chala,
*Gaston Fébus, prince
des Pyrénées (1331-1391)*,
Pau, Ed. Deucalion, 1993.

Le piégeage, qui permet de capturer le gibier sans l'exténuer, lui conserve l'intégralité de sa qualité nutritive. C'est une chasse jugée « cuisinière » par les veneurs qui se soucient plus de l'intérêt de la poursuite que de la finalité alimentaire. Couramment mentionnée dans les traités jusqu'au XIXᵉ siècle, elle n'est plus tolérée, de nos jours, que pour la destruction des nuisibles ou pour capturer vivant le gibier destiné au repeuplement des territoires.

L'ouvrage aborde également les différentes pratiques de chasse à tir, adaptées aux moyens techniques de l'époque. Au cours du XIVᵉ siècle, l'arbalète a bénéficié d'une série d'innovations visant à en développer l'efficacité et la précision. Hormis les armes, les tactiques ont peu évolué depuis lors, qu'il s'agisse de la *chasse en battue*, où les rabatteurs tentent de lever et de diriger le gibier vers une ligne de tireurs postés et immobiles, de la *chasse à l'approche*, où le chasseur recherche le gibier dans son cantonnement ou de la *chasse à l'affût*, où le tireur posté à proximité d'un lieu de passage du gibier attend sa venue. Selon une croyance largement répandue, Phébus prête au gibier les mêmes aptitudes visuelles que celles de l'homme. Il croit aux vertus du « camouflage » et recommande le port de certaines couleurs pour se fondre dans le contexte naturel. Dans l'effort d'exhaustivité du *Livre de Chasse*, il faut souligner une surprenante omission. Parmi tous les modes de chasse, il n'évoque pas celui, très en faveur au Moyen Âge, qu'est la chasse au vol. Mais le rapace y est le principal auxiliaire du chasseur, au détriment du chien. Or, dans sa pratique, Phébus apprécie particulièrement le rapport avec les chiens dont ses chenils sont abondamment pourvus.

Si le contenu du livre suscite l'intérêt des lecteurs, chasseurs ou curieux des mœurs de la faune sauvage, au point d'être recopié et publié à de nombreuses reprises, les illustrations du manuscrit de la Bibliothèque nationale séduisent par leur remarquable qualité esthétique. L'analyse stylistique permet d'y reconnaître l'œuvre de trois ateliers parisiens. Les fonds, le plus souvent constitués de motifs géométriques en partie dorés et gravés dans le parchemin, paraissent exécutés avant les éléments figurés. Les artistes ont favorisé la lisibilité, au détriment du réalisme. En vertu de conventions qui ignorent la perspective, les personnages sont représentés les uns à côté des autres ce qui rend leur action plus intelligible. Les compositions ne sont pas originales et reprennent pour l'essentiel, celles d'un autre manuscrit du *Livre de Chasse*, également conservé à la Bibliothèque nationale, et illustré de grisailles par un atelier avignonnais. Du modèle à son interprétation, il y a de légers écarts. Ainsi, dans le nouveau manuscrit, les jeunes pages sont-ils devenus des hommes d'âge mûr. Mais cette perte de sens est rachetée par l'exceptionnelle qualité picturale qui en fait l'un des chefs-d'œuvre de l'art médiéval.

Claude d'Anthenaise
Conservateur du musée de la Chasse et de la Nature

PETIT GLOSSAIRE DE TERMES
EMPLOYÉS DANS LA VÉNERIE

Bois : désigne l'ensemble de la
ramure qui croît sur la tête du daim,
du cerf ou du chevreuil. Ces bois
tombent annuellement. Les jeunes
bois ou *refaits*, sont couverts d'une
membrane duveteuse ou *velours*,
que l'animal dépouille en se frottant
à l'écorce des arbres.

Bougon : pointe de flèche ou de trait
d'arbalète à tête plate pour assommer
le gibier.

Bouquin : lièvre mâle.

Brocard : chevreuil mâle, pourvu
de *bois*.

Brisées : branches rompues que les
valets de limier placent au sol pour
indiquer la voie suivie par l'animal.

Change : se dit d'un animal
poursuivi par les chiens qui par ruse
tend à substituer un autre.

Couple : corde qui sert à attacher
les chiens deux à deux.
Découpler consiste à retirer ce lien.
Cette action marque le début de l'action
de chasse. Par extension découpler
prend le sens de chasser à courre.

Courre : formule archaïque du verbe
courir. Le laisser-courre, ou la chasse
à courre, désigne le mode de chasse
qui consiste à poursuivre un animal
à l'aide de chiens courants.

Curée : de *cuir*. C'est l'action
de distribuer aux chiens quelque
partie de l'animal qu'ils ont pris.
Les morceaux de l'animal sont
présentés sur sa peau ou *nappe*
quand il s'agit de la curée du cerf.

Détourner un cerf consiste à le
circonscrire dans un espace boisé
dont on a fait le tour avec un limier.
Alerté par la présence du chien,
le cerf n'ose pas sortir de l'enceinte
ainsi délimitée.

Forcer : prendre un animal après
l'avoir chassé à courre. Chiens
et veneurs ont exténué l'animal
et l'ont obligé à céder par force.

Frayoir : endroit où l'écorce des
jeunes arbres est marquée par le
frottement des bois des cervidés.

Fumées : déjections, *fientes* ou
laissées des cerfs et chevreuils
dont l'aspect varie selon les saisons,
l'âge, le sexe et l'état de santé.

Gîte : place qu'un lièvre évide dans
le sol avec ses pattes postérieures.

Hallali : cri de chasse annonçant
que l'animal est sur ses fins.

Hase : lièvre femelle.

Lacs : nœud coulant pour s'emparer
du gibier par étranglement.

Lancer un animal, consiste à
le contraindre à sortir de l'enceinte
dans laquelle on l'a *détourné*,
ce qui marque le début de la chasse.

Limier : chien à l'odorat développé,
dressé à quêter le gibier au bout
d'une longue laisse.

Mangeure : ou gagnage désignent
les prés et cultures, où le grand gibier
et le lièvre se rendent pour prendre
leur nourriture.

Panneau : filet de toile ou de fil que
l'on tend dans les bois et les plaines
pour prendre le gibier.

Pied : s'emploie au lieu de patte
pour les animaux de chasse, gibier,
mais aussi chien et cheval.

Rets : pièges en filets.

Sentiment : de *sentir*. Le mot
désigne la trace olfactive du gibier.

Servir : du latin *servire* signifiant être
soumis. C'est mettre à mort l'animal
vaincu par le veneur et donc soumis
à sa volonté. Par rapport au verbe tuer,
servir exprime une nuance de respect
pour le vaincu.

Solitaire ou ragot : désigne un sanglier
mâle ne vivant plus en compagnie.

Vénerie : du latin *venare* signifiant
chasser. On distingue la grande
vénerie, à cheval, pour le cerf, le
brocard, le sanglier et le daim, de la
petite, à pied, pour le lièvre et le lapin.

Voie : empreintes ou odeur révélant
le passage d'un animal de chasse.

▶

Gaston Phébus, comte de Foix et prince
de Béarn, trône dans une attitude
souveraine au milieu de ses auxiliaires
de chasse : aides, pages, valets de
chiens et de limiers. Les diverses races
de chiens composant sa meute les
accompagnent : élégants lévriers aptes
à toutes les chasses et particulièrement
à celle du lièvre, braques et épagneuls
pour lever le petit gibier, chiens de
Saint-Hubert dont sont issus les limiers,
chiens courants, dogues et mâtins
pour *aller courre* les grands animaux.
Le raffinement des colliers
et des muselières dont on les a parés
montre en quelle haute estime
leur maître les tient.

Quoique Phébus soit un excellent observateur de la nature, il ne peut se départir totalement des préjugés de la société médiévale vis-à-vis du cerf. L'aptitude de cet animal à perdre ses *bois*, ou ramure, pour les refaire annuellement, stimule l'imagination. On lui attribue des fonctions symboliques, on lui prête des pouvoirs, comme ceux de vivre cent ans ou de manger des serpents. Le prestige qui l'entoure contribue à faire de la chasse du cerf le plus noble exercice qui s'offre au veneur.

◀

▶

Au XIVe siècle, le renne a déserté depuis bien longtemps les forêts françaises. Mais l'auteur, qui l'a observé lors d'un séjour en Prusse, décrit ses mœurs avec tant de réalisme que, quatre cents ans après, il a pu tromper le savant Buffon. Sur la foi du *Livre de Chasse*, l'éminent naturaliste a cru que l'espèce perdurait en Béarn à l'époque de Gaston de Foix. L'illustrateur a voulu suggérer l'ampleur spectaculaire des bois formant la ramure de l'animal.

Le daim, caractérisé par son pelage tacheté et ses bois aux pointes réunies en palme, se rencontre encore à l'état sauvage dans les forêts françaises au XIVᵉ siècle. Il se chasse à courre tout comme le cerf, quoique sa vénerie soit jugée moins subtile.

◀

▶

Au Moyen Âge, le grand gibier de montagne est encore très abondant. En traitant des boucs, le *Livre de Chasse* envisage plusieurs espèces. Avec ses cornes recourbées, l'animal représenté couché sur un rocher s'apparente à l'isard, variante pyrénéenne du chamois. Les autres bêtes, portant des cornes annelées, sont des bouquetins, mâles et femelles. L'artiste, avec l'attitude allusive des individus occupant le premier plan, s'est plu à rappeler le comportement lubrique que l'on prête aux boucs.

De plus petite taille que le cerf,
le chevreuil est aussi plus commun.
Il se rencontre aussi bien en plaine
qu'en montagne, ainsi que le suggère
le paysage contrasté dominé par un
moulin. Brocards, chevrettes et faons
vivent en famille et se hardent par
grand froid. La vénerie du chevreuil
passe pour être plus subtile
que celle du cerf, et sa chair,
« la plus saine qu'on puisse manger
de bêtes sauvages ».
◄

► Avec ses longues oreilles et ses pattes
postérieures bien plus longues que les
pattes de devant, le lièvre se distingue
du lapin. Contrairement à ce dernier,
il n'habite pas dans un terrier mais,
parmi la végétation, en un *gîte* abrité
du vent. Il le quitte la nuit pour aller
au *gagnage*, quérir sa nourriture
dans les cultures. *Bouquins* ou mâles,
hases ou femelles et levrauts,
sont représentés en compagnie,
ainsi qu'ils vivent volontiers.

Parmi toutes les espèces dont traite
le *Livre de Chasse*, le lapin est l'une
des plus familières, car cet animal vit
couramment à proximité des
habitations de l'homme ainsi que
le rappelle la ville suggérée dans le
lointain. L'artiste figure les différentes
teintes que l'on rencontre chez ce petit
mammifère dont le pelage varie du gris
au beige, en fonction du climat,
de l'habitat et de l'alimentation.

◀

▶

La population des ours est
suffisamment nombreuse au Moyen
Âge pour que Gaston Phébus estime
qu'il s'agit d'une « assez commune
beste » au point qu'« il y a peu de gens
qui n'en aient vu ». Quoique l'animal
soit réputé solitaire, l'artiste a figuré un
groupe permettant de faire valoir la
diversité des robes, dont les tonalités
varient du fauve au brun noir.

De toutes les bêtes que Phébus a chassées, c'est le sanglier qu'il juge la plus dangereuse. La nature a pourvu cet animal d'armes efficaces constituées par les canines saillantes de la mâchoire inférieure. Ces *défenses* sont constamment aiguisées par les *grès* ou canines correspondantes sur la mâchoire supérieure. Muni de ce redoutable dispositif, le sanglier ne craint pas de charger l'homme lorsqu'il se sent en danger. Gaston de Foix l'a appris à ses dépens et relate qu'il a été maintes fois mis à terre et comment sa monture a même été tuée sous lui.

◀

▶

Fréquent au Moyen Âge, au point « qu'il y a peu de gens qui n'en aient vu », les loups suscitent la terreur. Ne dit-on pas que « la chair de l'homme leur est si savoureuse et si plaisante qu'après qu'ils y ont acharné ils ne mangeraient point d'autres bêtes ». L'illustrateur s'est appliqué à exprimer le mauvais regard de ces prédateurs qui s'en prennent aussi bien aux animaux d'élevage qu'aux bêtes sauvages.

Les renards « sont si malicieux et si subtils que ni hommes ni chiens n'y peuvent remédier ni déjouer leurs ruses ». L'animal se repaît de toutes sortes de bêtes et de charognes, mais la « nourriture qu'il préfère ce sont gélines et chapons, canes et oies ». Fouisseur paresseux, il aime à occuper les terriers faits par les blaireaux ou par les lapins qu'il se contente d'agrandir et d'aménager.

◀

▶

Malgré sa faible vue, le blaireau, ou *taisson*, dispose, avec ses dents et ses griffes, de puissantes défenses contre les chiens. Il vit dans de profonds terriers creusés dans les terrains boisés et ne les quitte qu'à la nuit tombante pour *quérir sa mangeure*. Il se nourrit au détriment du petit gibier car il est carnassier. C'est pour cela que l'on cherche à le capturer quoique sa chasse manque d'attrait et que sa chair ne soit pas comestible. La graisse, dont il est abondamment pourvu, trouve toutefois son utilité dans la médecine médiévale.

À l'époque de Gaston Phébus, les chats sauvages sont encore abondants dans la forêt française. Avec leur taille trois fois supérieure à celle du chat domestique, ce sont de redoutables prédateurs. Ils se nourrissent de petit gibier et d'animaux d'élevage. L'artiste les représente ici dans différentes attitudes familières, tapis à l'affût dans la végétation ou dans le creux d'un rocher. Parmi eux on a voulu évoquer des lynx. Leur pelage est tacheté comme celui du guépard et leur taille sensiblement la même que celle du chevreuil qui, comme l'image l'atteste, constitue l'une de leurs proies favorites.

◄

►

Pourvue de pieds palmés et d'une longue queue qui fait office de gouvernail, la loutre est une excellente nageuse. Elle vit au bord des cours d'eau et se tapit entre les racines des arbres. La loutre se nourrit la nuit en chassant écrevisses, grenouilles et poissons dont elle fait grande consommation. Elle aime à se tenir sur les pierres plates au bord des cours d'eau et y laisse des fientes blanchâtres et malodorantes qui révèlent sa présence aux chasseurs.

Qu'il soit lévrier gracile, à poils ras ou longs, puissant mastiff, braque, chien d'oysel ou épagneul, le premier auxiliaire du chasseur est toujours le chien. S'il faut en croire la chronique de Froissard, Gaston Phébus en aurait possédé mille six cents. Ce grand cynophile rend un vibrant hommage à l'espèce : « C'est la plus noble bête, la plus raisonnable et la plus avisée que Dieu fit jamais et je n'excepte en bien des cas ni l'homme ni aucune autre chose ».

◀

▶

Les chiens sont sujets à divers maux que l'on peut guérir pour peu qu'on les soigne à temps. Sous le regard du maître, les valets de chiens procèdent à l'inspection régulière de la gueule, des oreilles, des pattes ou des yeux. Ils doivent apprendre l'art et la manière de panser pour réduire les fractures et de faire les ongles avec de petites tenailles. Lorsque les pattes sont endolories ou blessées, rien de tel qu'un bain de pieds dans l'eau salée ou dans une préparation à base de vinaigre mêlé de suie.

L'alan, que l'on appellera dogue lorsque ceux provenant d'Angleterre seront les plus estimés, est recommandé par Gaston Phébus pour chasser le sanglier ou l'ours. Ce sont des « chiens de force », puissants et massifs auxquels on coupe les oreilles en pointe. Comme ils sont de caractère féroce, pourvus d'une forte mâchoire et qu'on craint leur morsure, on les maintient muselés hors le temps de chasse. Les bons alans sont des animaux très prisés ce qui justifie le soin avec lequel sont réalisés colliers et muselières.

◄

►

Le lévrier doit son nom à son aptitude à la vitesse qui lui permet de chasser le lièvre à courre. Outre les services qu'il rend à la chasse, il s'avère un aimable compagnon et d'une belle apparence ce qui lui vaut d'être en grande faveur au Moyen Âge. Phébus le juge « courtois, sans traîtrise, …sauf envers les bêtes sauvages envers lesquelles il doit être félon, méprisant et hardi ». Voulant lui être agréable, le chroniqueur Froissart lui offre quatre lévriers venant d'Angleterre qui viennent s'adjoindre à ceux, de toutes races et de toutes tailles, qui garnissent déjà les chenils du comte de Foix : levrettes, lévriers à poils ras ou à poils longs comme les irlandais qui sont gris et bouclés.

Moins élégant que le lévrier, le chien courant constitue l'essentiel des meutes. Il se caractérise par son aspect trapu, ses oreilles tombantes et son large museau, mais non par sa couleur, car on en trouve de tout poil.
De caractère grégaire, il n'a pas de rapport privilégié avec son maître, contrairement aux lévriers ou aux chiens d'oysel. Aussi ne lui destine-t-on pas les riches colliers qui parent le cou des espèces plus choyées. Parmi les divers individus constituant la race, Phébus apprécie particulièrement le « chien baud » qui « chasse toute bête excellemment ».

◀

▶

Le chien d'arrêt, ou chien d'oysel, tient son nom de ce qu'il est employé pour la chasse aux oiseaux. Il quête, arrête et éventuellement, rapporte le gibier. Contrairement au chien de meute, il a un rapport intime avec son maître. Les chiens d'oysel sont de races très diverses : braques à poil ras, griffons ou barbets à poil long ou encore épagneuls qui, comme leur nom l'indique, sont originaires d'Espagne. Phébus n'aime guère ces derniers, leur prêtant « autant de vilains défauts que le pays d'où ils proviennent ».

Dépourvu d'élégance, le mastiff ou
mâtin est avant tout un chien de garde,
employé pour surveiller les troupeaux
et défendre la maison du maître.
Mais, croisé avec des dogues, il s'avère
excellent pour chasser les sangliers,
les ours et les loups. À cet usage,
on lui destine de redoutables colliers
défensifs, armés de piques,
qui protègent son cou contre les
morsures des bêtes sauvages.

◄

►

La vénerie requiert un long
apprentissage et l'exercice de différents
emplois au service du maître.
Phébus recommande de commencer
comme page dès l'âge de sept ans.
Le maître remet alors aux jeunes
apprentis veneurs la liste de tous les
chiens et lices constituant le chenil,
afin qu'ils les connaissent « de poil et
de nom ». Jusqu'à l'âge de quatorze
ans, les pages se consacreront au soin
exclusif des chiens, avant d'accéder à la
qualité de valet qui leur permettra de
conduire les limiers à la quête du gibier.

On implante le chenil au milieu d'une
cour délimitée par une haute palissade.
Le bâtiment comprend une salle de
plain-pied pour la meute, surmontée
d'une salle en étage qui favorise
l'isolation thermique et permet de loger
les gens et stocker la paille. Au chenil,
les pages s'emploient aux soins des
chiens. Ils changent la paille des litières
et renouvellent l'eau de l'abreuvoir.
Ils s'exercent également à *coupler*
les chiens courants en les liant deux
par deux ce qui réduit leur mobilité
et favorise l'initiation des plus jeunes
par les plus expérimentés.

◄

►

Quand les chiens ne chassent pas,
il faut les mener deux fois par jour dans
un pré proche du chenil afin qu'ils
s'ébattent et qu'ils trouvent l'herbe
nécessaire à leur purge. Les pages
profitent de ces instants pour les
peigner et les frotter avec un bouchon
de paille, ce qui maintient leur poil
luisant et chasse les parasites.

34

L'apprentissage du veneur comprend
la fabrication des pièges, depuis
la réalisation des cordes de chanvre
jusqu'à la façon des rets et lacs.
Ceux-ci ont des formes variées en
fonction du gibier auquel on les
destine : panneaux, nasses, collets
et assemblages de nœuds coulants.
Phébus recommande de les teindre
en vert pour mieux les camoufler.
Pendant que les pages s'appliquent
à cette tâche, l'un d'eux distribue
aux chiens leur demi pain quotidien.

◄

►

Le succès de la chasse dépend de la
bonne coordination entre les hommes
et les chiens. Les pages doivent
apprendre à communiquer *à cor et
à cris*, soit par la voix ou à l'aide d'un
instrument. À chaque circonstance
de la chasse correspond un son
particulier et une manière spécifique
de scander auxquels ils s'essayent sous
la conduite du maître.

Un valet mène en laisse le limier.
Ce chien dont l'odorat est
particulièrement développé, *quête*
le nez au sol, sans donner de la voix.
Cela permet d'approcher le gibier sans
l'effrayer et de choisir l'animal qui sera
chassé. À l'arrière, un autre valet retient
la meute. Au signal du valet de limier,
il découplera les chiens, c'est-à-dire
qu'il dénouera la couple les liant deux
à deux pour réduire leur mobilité.

◄

►

À quatorze ans, le page accède enfin à
la qualité de valet. Il peut alors mener le
limier en *quête* et apprendre à
reconnaître le gibier à ses empreintes.
Le maître à cheval lui enseigne la
connaissance du pied, ou comment l'on
discerne l'âge et le sexe du cerf à ses
voies, et ceux du sanglier à ses *traces*.

38

Outre l'empreinte de son pied,
le veneur dispose d'autres moyens
d'information sur le gibier avec ses
excréments. Le valet de limier présente
à son maître les *fumées* d'un cerf qu'il
tient dans la paume de la main. Leur
aspect et leur consistance donnent au
veneur les précisions requises sur l'âge,
le sexe et l'état de santé de l'animal.

◄

►

Le maître indique au valet les marques
laissées sur le tronc d'un arbre par un
cerf. Comme tous les cervidés mâles,
le cerf perd annuellement sa ramure.
Les *bois* refaits, sont couverts d'une
membrane duveteuse. Pour dépouiller
ce velours, il le frotte sur l'écorce
et forme ainsi un *frayoir* qui instruit
précisément le veneur sur sa taille.

Le valet de limier s'est approché du lieu
où les cerfs vont se nourrir, en prenant
bien soin de rester sous le vent afin
que son odeur ne leur révèle pas sa
présence. Ayant accroché sa cape
et son cor à une branche, il escalade
un arbre pour repérer l'animal qu'il faut
chasser. Il en fera flairer la voie au limier
qui se tient coi à ses pieds.

◀

▶

Les cerfs s'en vont quérir leur nourriture
dans les prés et cultures environnant
les bois. Le valet de limier inspecte les
lisières à la recherche des empreintes
signalant leur passage. S'il en aperçoit,
il dispose au sol un repère formé
de branches rompues ou *brisées*
dont le gros bout est dirigé dans
la direction prise par l'animal.

En plein jour, c'est dans les bois
qu'il faut aller chercher les cerfs.
Mené par un valet au bout d'une
longue laisse ou *trait*, le limier est tout
à sa quête. Rien ne saurait l'en distraire,
ni l'eau qui s'écoule d'une fontaine,
ni le vol des insectes et des oiseaux,
pas même la présence d'une couleuvre
lovée dans l'herbe.

◀

▶

Dans la journée, les cerfs se retirent
dans la partie la plus impénétrable
de la forêt pour s'y mettre en sécurité.
Le valet y mène un chien à l'apparence
massive qui s'apparente aux fameux
chiens de Saint-Hubert, du nom d'une
abbaye située dans les Ardennes où ils
étaient élevés. C'est de cette race que
sont issus les limiers les plus réputés.

Le cerf ne sort pas de la forêt tant
que ses bois ne sont pas refaits.
Le valet de limier tente de s'en
approcher pour l'observer de visu.
Au besoin, il ramasse ses excréments
ou *fumées* pour permettre à son maître
d'apprécier l'animal. Pour les transporter,
il les met dans son cor ou dans sa
poche en les couvrant d'herbe, car les
tenir trop longtemps dans le creux
de la main en dénaturerait l'aspect.

◄

►

À la fin de l'été, les cerfs entrant en
période de rut, brament et s'affrontent
pour la possession des biches.
Leurs cris ont permis au chasseur
de les localiser sans recourir au service
du limier. Mais il doit prendre garde
de n'être pas vu car, à ses amours,
l'animal est particulièrement agressif.

Le sanglier est réputé orgueilleux et
tient tête au chien tant qu'il ne se sent
pas menacé. On dit qu'il se *laisse
aboyer*. Dès qu'il l'a repéré, le valet
de limier dispose des repères au sol
en *jetant ses brisées* et s'en vient faire
son rapport au maître qui décidera
de l'opportunité de chasser la bête.

◀

▶

Avant de se lancer dans la chasse,
il faut prendre des forces. À l'occasion
de ce déjeuner champêtre, les valets
de limier font leur rapport à l'assemblée
et, en guise de pièce à conviction,
déposent sur la nappe les *fumées*, ou
excréments, du gibier qu'ils ont repéré.
Le maître fait le choix de l'animal que
l'on va chasser. Il est le seul à bénéficier
d'une table dressée. Pages et valets se
contentent d'une nappe posée à même
le sol. Ils n'en font pas moins bonne
chair tandis que les boissons sont
rafraîchies dans l'eau d'une fontaine
où les chiens se désaltèrent.

Le maître ayant fait le choix d'un cerf,
le valet de limier qui l'a quêté revient
à ses *brisées* en menant le limier court
attaché. Une fois qu'il a revu l'animal,
il donne le signal pour que l'on
découple la meute. On détache d'abord
les meilleurs chiens car il faut prendre
garde de ne pas lever un autre cerf
que celui dont la chasse est décidée.
Les cavaliers sonnent alors du cor
pour encourager la meute.

◀

▶

L'art du veneur ne s'arrête pas à la
capture de l'animal. Un valet corne
pour signaler la prise tandis que les
autres s'apprêtent à dépecer le cerf
sous la conduite du maître
et d'un autre veneur expérimenté.
À l'aide de leur baguette ceux-ci
indiquent les parties à inciser, selon des
règles précisément établies.
Le meilleur morceau sera prélevé
pour le maître, mais les chiens auront
aussi leur part. Maintenus à distance,
ils attendent en humant l'odeur du
festin. Une mule harnachée d'un
brancard transportera les restes du cerf
qui ne seront pas mangés sur place.

Une fois l'animal dépecé, on procède à la *curée* qui consiste à donner leur part aux chiens. Le limier a un traitement de faveur : on lui apporte la tête de l'animal. Les autres chiens se contentent des morceaux restants que l'on présente sur le cuir de l'animal disposé en *nappe*. On mêle du pain au sang pour que la curée soit plus nourrissante. Un valet porte sur une fourche les boyaux qui seront donnés à part, tandis que de leur baguette, les autres hommes calment l'humeur belliqueuse des chiens.

◀

▶

Le courre du sanglier se pratique plus volontiers en hiver. Le limier ayant levé l'animal, le valet corne pour que l'on découple les chiens courants. On ne doit pas les lâcher tous en même temps. En effet, le sanglier est d'une rapidité et d'une résistance qui lasse la plupart des chiens et ses défenses peuvent les blesser ou même les tuer. Aussi faut-il disposer des relais pour renouveler la meute en cours de chasse.

La curée du sanglier se nomme *fouaille* car avant de le donner aux chiens, on passe l'animal au feu. Les chasseurs qui s'y réchauffent confirment que la flambée est bienvenue par les froids d'hiver. On découpe la *hure*, ou tête de l'animal, dont la gueule est maintenue ouverte par un bâton. Les cuissots iront à l'homme qui a eu le courage de le *servir* ou de le mettre à mort. Les boyaux, une fois purifiés sur la flamme seront donnés aux chiens avec des morceaux de pain trempés dans le sang.

◄

►

Après sept ans d'emploi comme page puis six autres années comme valet, l'apprenti veneur accède dans sa vingtième année à la qualité d'aide. Désormais, c'est à cheval qu'il chasse et quête le gibier. On lui confie le dressage des limiers. Cette dernière fonction requiert une grande intimité avec le chien puisque l'efficacité de son travail dépend de cet accord. Aussi le limier échappe-t-il à la promiscuité du chenil pour coucher dans la chambre de son instructeur.

Le maître ayant fait le choix d'un cerf *détourné* ou localisé par l'un des limiers, la meute découplée *lance* l'animal. Les chasseurs veilleront à ce que les chiens courants suivent sa trace ou sa voie sans qu'un *change* les égare à la poursuite d'un autre animal. Quand cela se produit, *à cor et à cri*, on tente de rallier la meute. L'art du veneur consiste à déjouer les ruses du cerf et à le *forcer* en le poursuivant jusqu'à ce que l'épuisement l'oblige à s'arrêter. Une tenue particulière est requise pour le courre du cerf : habit vert, épaisses bottes de cuir pour se garantir des épines, épée pour *servir* l'animal, couteau à dépecer et cor pour sonner les circonstances de la chasse.

◀

▶

Quoique la chasse au renne ne soit pas pratiquée en Béarn et que l'auteur la juge de peu d'intérêt, il a tenu à l'évoquer dans un souci d'exhaustivité. L'usage du limier est inutile pour cet animal que l'on ne chasse pas *à force*, l'animal se mouvant lentement et se fatiguant vite « car il est pesante bête pour la grande tête qu'il porte et pour la grande graisse qu'il acquiert ».

La chasse du daim suscite les mêmes
réserves que celle du renne, car l'animal
se défend mal et son courre est jugé
de peu d'intérêt. Il excite néanmoins
les chiens, qui, la gueule ouverte et
la langue pendante, donnent de la voix.

◀

Isards et bouquetins ne se chassent pas
à courre car la configuration escarpée
de leur territoire l'interdit.
Dans la frénésie de la chasse, les chiens
ne risqueraient-ils pas de se rompre
les os en tombant des rochers ?
Aussi les retient-on en laisse.
Pour capturer les boucs, il faut les
encercler et les servir à l'arbalète.

Deux lévriers prennent la tête de la meute. Pour chasser le chevreuil, Gaston Phébus recommande de les associer aux chiens courants. En effet, leur rapidité permet de faire *vider le pays* au gibier, avant que celui-ci ait pu détourner les chiens sur la voie d'un autre animal. Ruse fréquente chez le chevreuil, le *change* est particulièrement difficile à déjouer, ni les empreintes ni les *fumées* ne permettant d'identifier la bête avec sûreté.

◄

►

Munis de longues baguettes pour diriger la quête des chiens, les veneurs ont levé l'animal dans un pré humide où poussent des saules. Le *courre* du lièvre passe pour l'un des plus difficiles. Le *sentiment*, ou trace olfactive de ce gibier, étant très léger, il est conseillé de ne pas le chasser par grande chaleur. Lorsqu'il est forcé, sa chair est indigeste et, en guise de *curée*, les chiens doivent se contenter de pain trempé dans le sang de l'animal. C'est pourquoi l'un des valets porte au bout d'un bâton la dépouille du *bouquin* ou de la *hase* qui s'est déjà laissé prendre.

Dans cette chasse au lapin,
les hommes recourent à des accessoires
et des auxiliaires divers. Ayant d'abord
lâché épagneuls ou autres chiens
d'oysel, ils font rentrer les lapins dans
leurs terriers. Les issues étant
soigneusement bouchées ou munies
de nasses en filet, deux furets y sont
ensuite introduits. On distingue,
sur l'un d'eux, la muselière qui évite
qu'il ne tue sa proie sous terre car alors
il la mangerait et n'en ressortirait pas
avant plusieurs jours. Effrayés par les
furets, les lapins s'enfuient vers les
nasses où on les capture. Pour obtenir
le même résultat, un autre déterreur
tente d'enfumer les terriers.

◀

▶

La chasse à l'ours est un exercice
périlleux. L'animal, qui en temps
ordinaire n'attaque pas l'homme,
s'avère extrêmement dangereux lorsqu'il
est menacé ou blessé. Il faut s'en tenir
à distance, ce qui proscrit l'usage
de l'épée pour le tuer. À cette fin,
les hommes apportent des épieux
et des arbalètes. Le danger concerne
également les chiens. Aussi ne voit-on
pas ici les précieux lévriers,
mais de puissants mâtins, croisés de
dogues et de chiens courants.

La chasse au sanglier est moins subtile que la chasse au cerf, car l'animal déploie peu de ruse. En revanche, elle nécessite un grand courage pour tuer l'animal aux abois. Le servir à l'épée est réputé plus noble, mais le tuer à l'épieu n'est pas sans péril car il arrive qu'ayant manqué le coup, le cavalier s'empale sur la hampe fichée en terre. Les hommes portent des arbalètes pour venir en aide aux cavaliers, si nécessaire.

◄

►

Pour servir le sanglier, on utilise une épée très longue, car la force de l'animal est telle qu'il ne s'arrête pas sur le coup. Aussi faut-il beaucoup d'adresse au cavalier qui doit diriger sa monture de telle sorte qu'elle n'expose jamais le flanc au boutoir de la bête noire. Pour les mêmes raisons les épieux qu'utilisent les hommes à pied sont parfois munis d'une barre transversale ou crossette, qui permet d'arrêter le sanglier dans son dernier élan.

Le loup ne se laisse pas aisément capturer. On tente de l'appâter avec des charognes en un bosquet isolé que les chasseurs encercleront.
S'il ne se laisse pas prendre par surprise il faut le chasser à courre et le *forcer* avec des chiens spécialement dressés car ils sont naturellement réticents à affronter cet animal. Comme le loup est au moins aussi endurant que les chiens, sa chasse peut durer plusieurs jours.

◀

▶

Malgré les feuilles figurées sur les arbres, le courre du renard se pratique plus volontiers en hiver, lorsque les bois sont clairs. Le veneur divise sa meute et n'en lâche d'abord que le tiers.
S'il procède autrement, les chiens risquent de s'épuiser à chasser d'autres bêtes. Une fois la chasse bien engagée, on libère la réserve ou *relais*.
Le courre du renard exige de la part des chiens plus de vitesse que d'odorat, car l'animal est réputé *bête puante*.
Aussi n'est-ce pas, en dépit de la ruse dont il fait preuve, la chasse la plus subtile. Plutôt que de forcer l'animal, on recourt le plus souvent au piégeage.

On piège le blaireau en obturant avec
des filets l'entrée de son terrier qu'il
a quitté pour ses chasses nocturnes.
Au matin, rabattu par les chiens,
il se laisse prendre en croyant regagner
son repaire. Le blaireau peut également
être déterré, que ce soit par enfumage
comme l'un des hommes s'apprête
à le faire, ou sous la menace de chiens
mordants et courageux. Dans ces deux
cas, le recours aux instruments tels
que houes et pelles, est nécessaire
pour venir à bout d'un animal dont les
morsures et les griffures sont redoutables.

◀

▶

Le félin gris figuré à l'arrière-plan,
agrippé au tronc d'un arbre, est un chat
sauvage. On ne le chasse pas à courre,
car il se perche aussitôt qu'il se sent
menacé et c'est alors aux archers
qu'il incombe de le tuer.
Devant lui, l'animal au pelage tacheté
comme celui du léopard est un lynx,
parfois appelé loup-cervier.
Il se laisse chasser car il fuit à terre.
Toutefois les chiens courants ont fort
à craindre de ses griffes. Aussi, lorsqu'il
est aux abois, les chasseurs le tuent
à coup de lance ou en lui décochant
des traits d'arcs et d'arbalètes.

La loutre offre *une très belle chasse et plaisante, quand les chiens sont bons et les rivières petites.* Les différents temps en sont ici juxtaposés.
Au premier plan, un valet de limier quête l'animal en arpentant les berges, avant de faire son rapport au maître qui décidera du *laisser courre.*
Sur l'autre rive, on voit les chiens une fois découplés, *quérant* la loutre, ou cherchant la voie de l'animal, parmi les herbes de la rive et dans la profondeur d'un arbre creux. Dans la rivière, un autre chien poursuit la bête à la nage, tandis que les valets la *servent* avec une fourche ou une lance.

◀

▶

Quoique le piégeage soit moins noble et moins courtois pour le gibier que la chasse à courre, tout bon veneur doit en connaître la technique. Différents types de *lacs* ou pièges à nœuds coulants sont disposés dans les étroites ouvertures d'une haie. Ailleurs, des filets ou *rets*, sont tendus entre des arbres et des perches. Pour les fondre dans la végétation, on teinte les cordes au jus d'herbe et l'on habille les valets en vert. Ces derniers rabattent en criant les bêtes sauvages vers les pièges et les mettent à mort avec des épieux. Ils doivent prendre soin de les frapper de face afin que, arrêtées par les cordes, elles ne puissent les mettre en péril en chargeant.

70

On capture également le grand gibier
à l'aide de fosses creusées de telle sorte
que, l'ouverture étant plus étroite que
le fond de la cavité, l'animal ne puisse
s'en échapper. Poussé par les chasseurs,
un sanglier suit les palissades
qui convergent vers le piège
que dissimulent des branchages.
Cette pratique vise à tromper l'animal
et ne lui permet pas de faire valoir
sa ruse et son adresse, aussi est-elle
considérée comme *chasse de vilains,
de gens du commun et de paysans.*

◀

▶

On peut prendre les sangliers
par surprise lorsqu'ils s'assemblent
pour se nourrir de glands et de faines.
Assistés d'une meute hétérogène,
composée de mâtins, de dogues
et de lévriers, une troupe de chasseurs
à pied les approchent en remontant
le vent et les met à mort à l'aide
d'épieux à crossettes.

Vilaine chasse également que la chasse au *dardier* qui consiste à établir sur le parcours de l'animal un piège à ressort : pointe d'épieu fixée transversalement sur une perche maintenue en flexion à l'aide de cordes. Ce procédé cruel nécessite une parfaite connaissance de l'itinéraire du gibier. Ici, la terre mise à nu et les excréments trahissent le passage fréquent de l'ours.

◄

►

Comme beaucoup d'animaux sauvages, le loup aime à suivre le même itinéraire bien connu de lui. Il trace ainsi sur le sol un sentier ou *coulée* que le chasseur sait discerner. Ici, la voie du loup passe par un champ cultivé, protégé par une clôture d'osier. Ses empreintes se distinguent sur la terre labourée, à côté de celles de l'homme. C'est là que l'on a établi le hausse-pied, piège associant la technique du collet, ou nœud coulant, et celle du ressort. Pris à l'abdomen ou par les pattes, le loup, hissé dans les airs, ne peut rompre ses liens.

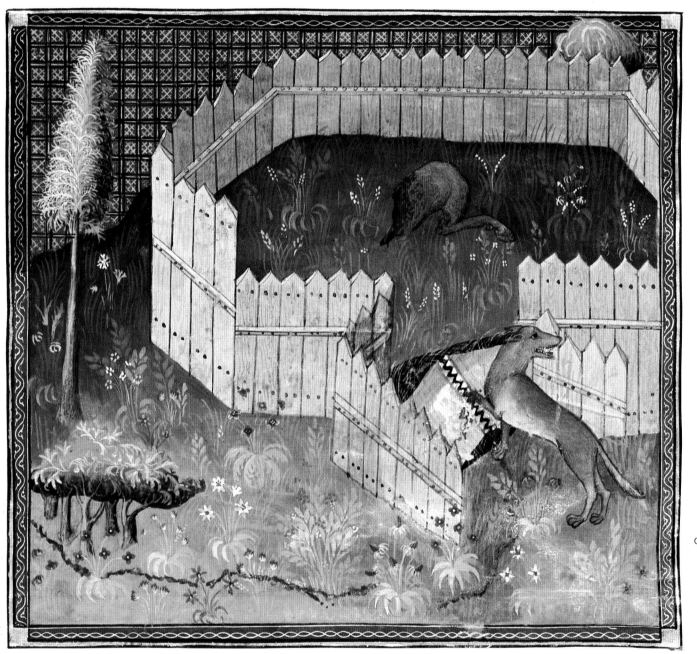

Le *Livre de Chasse* atteste l'existence, au XIVe siècle, du piège à mâchoires qui se ferme sous le poids de l'animal. Ici, le loup attiré par la viande s'est laissé prendre à l'entrée d'un enclos. Dans ses efforts pour s'échapper, il peut parfois y laisser la patte.

◄

►

Afin de prendre les loups vivants, on les attire dans un piège constitué de deux enceintes concentriques délimitant un étroit passage circulaire. Au centre, est placé un mouton vivant dont les bêlements attirent le prédateur. Un morceau de viande a été traîné sur le sol, guidant l'animal dans un sens donné. Ainsi le loup s'introduit dans la première enceinte et, pour en faire le tour, repousse la porte ce qui l'empêche de ressortir.

Ayant appâté les loups plusieurs nuits de suite avec des carcasses d'animaux, les chasseurs ont disposé au même endroit des pièges en filet. Sans être assistés de chiens, ils remontent le vent en direction des loups et les poussent vers les rets en criant.

◀

▶

Pour capturer un sanglier qui dévaste les vergers, on a disposé des pommes à l'intérieur d'un petit enclos de pierres sèches. La fosse y est dissimulée sous des branchages suffisamment résistants pour porter les fruits mais prêts à rompre sous le poids de l'animal lorsqu'il sautera par dessus l'enclos.

78

Attiré par l'odeur d'une charogne qu'on a pris soin de traîner à terre, un loup s'approche de la fosse creusée non loin d'une ferme. À force de rôder autour du piège où a été jeté l'appât, l'animal finira par choir dans la fosse.

◄

►

Pour venir à bout du fléau qu'est le loup, toute ruse est bonne. Deux hommes prélèvent de petits morceaux de chair sur un cheval mort. Ils y dissimulent des aiguilles recourbées et les disposent sur le passage présumé des bêtes sauvages. Engloutissant la chair sans la mâcher, les loups avaleront l'aiguille qui doit perforer leurs intestins.

En battue, les chasseurs armés d'arcs et d'arbalètes sont placés en ligne. Phébus croit aux vertus du camouflage, aussi recommande-t-il d'être vêtu de vert afin de passer inaperçu du gibier que rabattent les chiens. Les archers tirent de face pour atteindre plus efficacement leur cible et pour éviter de blesser leurs voisins.

◄

► Vêtus de vert, coiffés de feuillage et dépourvus d'armes, deux cavaliers tendent une embuscade aux cerfs qui les voient approcher sans discerner leur intention agressive. En fait, les chevaux dissimulent des archers, prêts à tirer dès qu'ils seront à bonne distance de la harde.

Dans la série des leurres destinés à prendre le gibier par surprise, on peut avoir recours à une charrette garnie de feuillage dans laquelle a pris place un archer déguisé. Trompée par le caractère inoffensif de cet attelage, la harde se laisse contourner et approcher jusqu'à être à portée de tir.

◀

▶

La chasse à l'approche derrière un cheval consiste à détourner l'attention de la harde avec un cavalier qui dissimule les archers. Ceux-ci utilisent des arbalètes, d'une précision et d'une puissance supérieures à celles d'un arc, mais plus difficiles à bander. Aussi faut-il l'armer et mettre le trait en place avant d'être à proximité du gibier.

Le veneur peut aussi pratiquer la chasse
à l'approche sans aucun accessoire
pour le dissimuler. Armer l'arbalète
nécessite force et adresse.
L'un des archers dispose d'un modèle
pourvu d'un tendeur et d'un étrier
pour passer le pied. Ayant ajusté,
un autre décoche son trait sur un cerf
qu'il touche en plein cœur.
◄

► Un archer pratique la chasse à
l'approche en se déplaçant avec un
mannequin de toile évoquant la
silhouette d'un animal. Le leurre n'est
efficace que si le chasseur prend bien
soin de rester sous le vent.
On a longtemps recouru au même
simulacre pour chasser les perdrix.

À l'automne, quand le sol est jonché de glands et de faines, le sanglier se laisse plus facilement approcher. Vêtus de gris pour se fondre avec le tronc des arbres, trois archers s'apprêtent à tirer sur un *solitaire*, l'un d'eux arme son arbalète à l'aide de l'étrier monté sur le fût. Sans doute faut-il plus de trois flèches pour venir à bout d'un animal qui s'avère redoutable lorsqu'il est blessé, aussi l'assistance du chien est nécessaire pour le poursuivre ou le distraire d'attaquer l'homme.

◀

▶

À l'affût sur la berge, un archer, les doigts sur la détente de son arbalète, s'apprête à tirer sur un sanglier vautré dans une mare. Ayant pris position avant le lever du jour, il a dû guetter jusqu'à ce que la compagnie vienne se délasser dans l'eau boueuse de la souille.

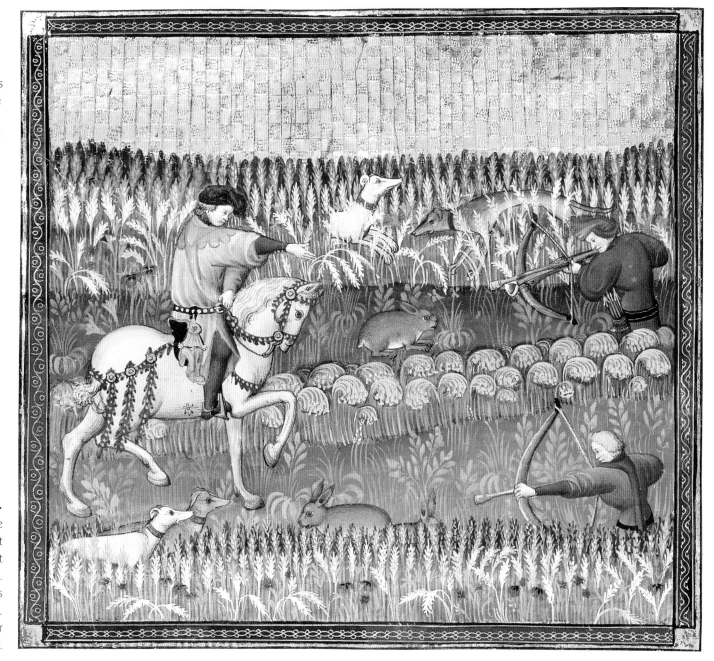

Une autre chasse à l'affût consiste à se placer avant le lever du jour en un endroit par lequel le gibier s'en retournera après être allé quérir sa nourriture. Les trois archers sont postés en hauteur, afin que leur odeur n'alerte pas les animaux. Si l'un des sangliers gît déjà, abattu d'une flèche, le second charge furieusement.

◀

▶

Cantonnés par les lévriers entre les planches de culture où alternent les blés et les choux, les lièvres à l'arrêt s'offrent comme cible aux archers. Ceux-ci les tirent avec des traits spéciaux, appelés *bougons*, dont la tête aplatie est conçue pour assommer le gibier.

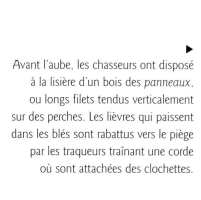

Phébus méprise ceux qui, pratiquant
la chasse au collet, ne respectent pas
les règles de courtoisie que l'on doit
au gibier et souhaite voir au cou
de ces rustres la corde qu'ils emploient
à cet usage. Il n'en décrit pas moins
les techniques de chasse au filet
qui permettent de capturer les lièvres
regagnant leur gîte au petit matin
après être allés quérir leur nourriture
dans les cultures.

◄

►

Avant l'aube, les chasseurs ont disposé
à la lisière d'un bois des *panneaux*,
ou longs filets tendus verticalement
sur des perches. Les lièvres qui paissent
dans les blés sont rabattus vers le piège
par les traqueurs traînant une corde
où sont attachées des clochettes.

Des filets ont été disposés dans les brèches d'une clôture, sur le chemin qu'emprunte un lièvre pour aller se nourrir dans les cultures. À proximité des pièges, les hommes se tiennent prêts à se saisir de l'animal levé par les chiens.

◄

►

Les lévriers doivent leur nom à leur emploi pour la chasse au lièvre qu'ils sont les seuls chiens à pouvoir battre de vitesse. On les emploie pour la chasse à l'affût où leurs maîtres embusqués les lâchent à la poursuite du gibier qui, revenant au gîte, passe à leur portée.

Appréciant le raisin, les lièvres gîtent
volontiers dans les clos de vigne
comme celui figuré ici avec sa cabane
de vigneron. Des hommes disposent
des collets dans les brèches de la haie
tandis qu'un autre lâche les chiens qui
repousseront le gibier vers les pièges.

◀

▶

Le comte de Foix peut s'adresser à Dieu
avec l'âme tranquille. La pratique de la
chasse, en préservant de l'oisiveté,
n'offre-t-elle pas le plus sûr moyen
pour résister à toutes les tentations ?
« Donc, bon veneur sera sauvé,
et en ce monde aura assez de joie,
de liesse et de plaisir ».

Imprimé en Chine